Ce livre appartient à

AZALEA
MOM

Catalogage avant publication de Bibliothèque et Archives Canada

Greening, Rosie
[Mermaid Mia and the royal visit. Français]
Sabrina la sirène et la visite royale / Rosie Greening ; illustrations
de Lara Ede ; texte français d'Isabelle Montagnier.

Traduction de: Mermaid Mia and the royal visit.
ISBN 978-1-4431-6876-2 (couverture souple)

I. Ede, Lara, illustrateur II. Titre. III. Titre: Mermaid Mia
and the royal visit. Français.

PZ23.G8398Sas 2018   j823'.92   C2017-907889-5

Édition publiée par les Éditions Scholastic, 604, rue King Ouest, Toronto (Ontario) M5V 1E1.

5 4 3 2 1   Imprimé en Chine CP150   18 19 20 21 22

Sabrina la sirène

et la visite royale

Rosie Greening • Lara Ede

Texte français d'Isabelle Montagnier

SCHOLASTIC

Sabrina la sirène adore écrire pour le **journal** de l'école.

Idées

Elle le dirige avec ses deux bonnes amies, **Emma** et **Nicole**.

Emma est la **photographe**...

Souriez!

et Nicole est chargée des **critiques.**

LA GAZETTE des sirènes

Sabrina rédige la **une** sur des sujets fantastiques.

Un matin, **Sabrina** cherche des nouvelles **croustillantes**.

Elle est prête à **noter** des **infos** intéressantes.

On a signalé des escargots
à la **cafétéria.**

Mais cette histoire manque **d'action** et n'inspire pas **Sabrina.**

Ensuite, elle se rend au **gymnase** où une **baleine** serait coincée, selon une **rumeur**.

Sabrina se dit :
Voilà une nouvelle qui ferait un article **accrocheur!**

1, 2, 3, poussez!

Mais le temps que **Sabrina** arrive, la **baleine** a réussi à **sortir!**

— **Je n'ai rien pour la une!**
gémit-elle. Qu'est-ce que je vais bien
pouvoir écrire?

Tout à coup, Sabrina a une **merveilleuse** idée!

— Si je n'ai pas de nouvelles, je vais en **inventer!**

Nageant jusqu'à son **clavier**, elle tape à toute allure. Cette **nouvelle** va faire du **bruit**, se dit-elle. *J'en suis* **sûre!**

LA GAZETTE des sirènes

La reine Marina est l'un des membres de la royauté les plus populaires sous l'océan. Elle a toujours des projets en cours : recyclage de coraux, ouverture de bibliothèques... Le mois dernier, la reine Marina a fêté son anniversaire. C'était une journée magique avec des friandises, un orchestre merveilleux et un spectacle de poissons-clowns.

Le plus beau cadeau qu'elle a reçu est un magnifique carrosse qui n'a pas encore été utilisé en public. Nous pensons qu'elle le réserve pour une occasion spéciale...

Dès la sortie du **journal**,
la nouvelle se **propage.**

ACADÉMIE CALYPSO

La **une** de Sabrina
fait tout un **tapage!**

LA GAZETTE
des sirènes

La reine Marina

Le palais royal

VISITE ROYALE!

Par Sabrina la sirène

Sa Majesté la reine Marina visitera notre académie. Elle a hâte de faire notre connaissance!

Toutes les **sirènes** parlent de l'événement **de l'année!**
En classe, elles murmurent : « La **reine** va venir nous rencontrer! »

J'ai tellement hâte!

Il y aura sûrement un bal!

La **nouvelle** prend beaucoup d'ampleur
et **Sabrina** comprend qu'elle a fait une **erreur**.

Une semaine avant,
Sabrina avoue à ses amies :

— J'ai menti et j'ai eu **tort** :
La reine ne viendra pas
à notre académie.
J'ai de gros **remords**.

Nicole s'écrie :
— Tu aurais **dû** dire la **vérité**!
Nous devons raconter à la **reine**
ce qui est arrivé.

Sabrina envoie à la reine
une lettre **d'invitation.**

Reine Marina
Le palais royal
Sous l'océan

Levée :
du lundi
au vendredi
7 heures

Prière de ne
pas envoyer de
coquillages par
la poste.

Elle **espère** bien que
Sa Majesté ne dira pas **non.**

Chère Sabrina,

Je te félicite d'avoir eu le courage
de m'écrire.
Merci pour l'invitation. Je viendrai
avec plaisir!

Amicalement,
La reine Marina

Les **élèves**, très impatientes, décorent la façade de l'école.

VOUS ÊTES SUPER!

Quand le jour **attendu** arrive,
elles accrochent une **banderole**.

Un **carrosse** tiré par des **dauphins** s'arrête dans l'allée.

La **reine** en descend et Sabrina **rayonne** de **fierté**.

Cette **magnifique** visite connaît un immense **succès!**

Mme Isabelle rencontre la reine Marina.

La reine Marina est douée pour le ballon-panier!

La reine Marina avec la gagnante de la foire des sciences.

La reine Marina est accueillie chaleureusement.

Sabrina écrit un **article** dont chaque mot est **vrai**.

Tout le monde a passé une journée merveilleuse!

Pas au menu!

VISITE ROYALE RÉUSSIE!

Par Sabrina la sirène

Nous nous sommes bien amusées lors de la visite de la reine! En partant, elle nous a dit : « Je reviendrai l'année prochaine! »

Sabrina a appris à être **honnête** quand elle rédige ses **nouvelles.**

Elle dit la **vérité** même si l'actualité n'est pas **sensationnelle!**